晨讀10分鐘

[小學生]

用成語，學寫作（下）

作文篇

撰寫——李宗蓓

—推薦文—

解開小學生寫作的罩門——打通寫作三大經脈的武功祕笈

文／臺北市私立再興小學研究教師　廖淑霞

作家廖玉蕙曾說：「不管閱讀與寫作，其目的無非是讓生活更容易……讓語文教育回歸家常，如食、衣、住、行之所需，簡單且實用的聽、說、讀、寫吧！」如此日常的寫作，卻成了小學生學習課程中不欲面對且不可承受之重。

批閱著手中成疊的作文，雖然不乏佳作，但大半的文章卻讓自己不知從何修改。修改幅度的多寡如何拿捏？如何在保留作者的原意下修改文句……這是身為作文教師擺脫不掉的夢魘。如何立意取材？如何組織架構？遣辭造句如何表述？成了這個世代小學生寫作的三大罩門。

細觀孩子在寫作上的困境，不外乎取材不當或是素材的趨同性。書寫「我最感謝的人」，跳脫不出父母、老師；進行組織架構，不離三段式（開始、經過、結果）或四段式（總、分、分、總）的結構。遣辭造句時，更是亂象叢生：前後文句無法連貫、類似的語句不斷重複、語詞使用不當、用詞過於口語化與網路化……

由具有兒童雜誌編輯與寫作教學經驗的李宗蓓編寫的《晨讀10分鐘：用成語，學寫作》一書，正是解開小學生寫作的罩門——打通寫作三大經脈的武功祕笈。從文本的表述形式來看，囊括了一〇八課綱，第二、三學習階段中的記敘文、抒情文、說明文、議論文、應用文五大文體。從寫作主題來看，從與孩子最切身的「心情感受」出發，接著是密不可分的「家庭生活」，然後是息息相關的「學習活動」，最後是記憶深刻的「生活體驗」。從寫作方法來看，藉由「寫作提示」進行審題以及取材的思路分析，並透過「參考範文」與「引導發想」確定文章架構，更提供與主題相關的「成語工具箱」，豐厚寫作的詞彙。

這本祕笈分為上下集，上集包含十八篇小日記與十五篇生活週記，透過一週一篇，循序漸進的帶領孩子表達自己的喜怒哀樂、回味生活的點點滴滴、記錄課堂的成長與收穫、敏覺周遭環境的變遷，讓自己成為一個懂得省思，勇於表達，善於描繪的人。下集分篇介紹以人、事、景、物為主的記敘文體的寫作重點與技巧；抒情文的特性與記敘文表述的差異點；論說文寫作時如何組織？如何條理分明？而應用文部分則以最常用的書信與讀書報告，說明文章的基本格式與內容的表達。

每篇主題的「寫作提示」，以擴散式思考激盪孩子寫作的取材面向，解開「不知寫什麼」的罩門，打通「立意取材」的經脈。以第21週〈逛大賣場〉為例：週末假日的時候，你和家人們有沒有固定從事的活動呢？像是全家人一起去運動、探望長輩、觀光旅行、打掃整理家務等等，很多家庭也會利用週末到大賣場採購用品。這些屬於家庭成員一起進行的活動，也反映出了家庭生活的樣貌與成員間的喜好。

藉由文字的引導，讓孩子能從運動休閒、拜訪親友、觀光旅遊、勞動體驗、生活採購……各種生活的型態中去構思，解決取材不當或是素材趨同性的窘境。

在「參考範文」中，提供寫作架構的範例，並呈現多元的寫作模式，解開「不知如何寫」的罩門，打通「組織架構」的經脈。以第45週〈我對校園霸凌的看法〉為例：

……過去我以為霸凌就是暴力打人，慶幸我們班不曾發生過這樣的事情，直到我聽老師說，故意孤立不喜歡的同學，或是嘲笑同學，都是霸凌，我才發現校園霸凌就在我們身邊……

首段開門見山為「霸凌」的範疇進行定義，也鋪陳出第二、三段的關係霸凌、語言霸凌與網路霸凌，末段以重申自己對霸凌的態度與立場作總結。

在「成語工具箱」中，則為腹笥甚窘的孩子提供與主題相關的成語，解開「如何寫好」的罩門，打通「遣詞造句」的經脈。以第34週〈我們這一家〉為例：

形容「身材」可以使用：

虎背熊腰、昂藏七尺、大腹便便、嬌小玲瓏、亭亭玉立形容「個性」可以使用：
多愁善感、優柔寡斷、我行我素、實事求是、循規蹈矩

除了描述人物身材的成語，更收錄了與性格相關的詞彙，更在範文中呈現了運用的語境，解決類似語句不斷重複、語詞使用不當、用詞過於口語化與網路化的通病。

寫作之法無他，唯累積與勤耕。透過五十二篇小日記、生活週記、作文五大文體的習寫，在日積月累下，定能打破寫作的罩門，培養出「獨立」完成作文的能力，讓寫作不再是學習課程中不可承受之重。

目次

創意聯想

應用文

書信

讀書心得

作文

「小日記」和「生活週記」是當天或最近幾天發生自己身上或周遭的事情，是真實生活、心情的紀錄，體裁不拘，形式自由，可以作為寫作的基礎與練習。「作文」就不一樣了，作文通常要根據指定的題目，選擇適當的材料，把自己的思想、感受、意見，精確的用字遣辭，寫成句子，組成段落，成為一篇清楚達意的文章。

作文的內容除了來自真實的生活與經驗，有時還要發揮想像力，加入新創意。也不一定是當下或周遭發生的事情，可能要回憶過去，可能會預想未來，在記錄事情、抒發心情之外，也要能表達出自己的想法與主張，並且年級越高，通常要求的寫作字數也越多。

作文常見的體裁分為：記敘文、抒情文、論說文和應用文。以「起承轉合」為基本結構，一篇文章中要有開頭、承接說明、轉折深入和結尾四大段落。寫作時運用視聽嗅味觸的摹寫，以及比喻、誇飾、轉化、象徵、排比等各種修辭，適時引用名言佳句和成語，舉例。看起來好像很複雜，其實都是在幫助我們循序漸進的學習怎麼把事情說清楚，把心中的想法和情感精確的傳達出去，讓我們學會用文字表達的技巧。

不要把「寫作文」看成是學生時期的作業和考試而已，以為長大後就不用寫了，因為由作文培養出的寫作能力，小自親友間的訊息往來、個人網站貼文，大至學業、職場上的專案報告，都是要靠文字寫作。如何能在大量吸收各方訊息後，理解、思考、判斷、整合，再精準流暢的用文字表達出來，是非常重要的能力。在小學階段學好作文，對未來各領域都需要的寫作力，絕對大有幫助，是一個終身受用的重要能力。

記敘文

「記敘文」是記敘人、事、景、物為主的文體，把生活中看到、聽到、接觸到，經歷過的事情記述下來的文章。

記敘文寫作的基本架構是：什麼人？發生什麼事？發生的時間和地點，以及事情的開頭、發展、過程和結果，讓人能清楚知道一件事情的經過，是最常使用的文體，也是寫作的基礎。

—記敘文—

人物

小朋友寫作文時，最常寫到的人就是和自己關係最親密的那一位，這個人常常是媽媽，為什麼呢？因為她的長相、性格、姿態，話語和行為，我們最熟悉，最容易下筆，可以說是描寫人物的起步。

描寫人物時，不只要將這個人的外貌呈現出來，還要加上神情和姿態，並進一步透過語言和動作，表現出人物的性格，以及對你的影響，這樣寫人，才會形象鮮明，讓人印象深刻。

第34週

我們這一家

寫作提示

家人每天生活在一起，有太多可以下筆的地方，寫作時要掌握外貌、言行、性格，讓每個人都真實生動。而家裡的每個人都不是獨立的存在，關係親密，會互相影響，除了描寫個人，也要寫出家人之間的相處情形和家庭氣氛。

在寫「我們這一家」時，第一段可以先介紹家裡有哪些成員，接下來第二、三段，可以描寫一個家人的外表和個性，日常生活的情景，以及與其他家人間的互動。最後一段的結語，寫出家人和家庭對自己的影響與意義。

在描寫人物的時候，如果能寫出一句他平時常說的話、常做的事，或是習慣性的行為，也可以更具體的突顯出這個人的形象喔。

參考範文

我們家有四個人，爸爸、媽媽，姊姊和我。每天早上吃完早餐後，我們會一起出門，爸爸、媽媽上班，我和姊姊上學。

我的爸爸臉圓圓的，身材瘦瘦的，滿臉笑容，脾氣很好，常會講冷笑話，有時還是會有點好笑。他在家時常不修邊幅的躺在沙發上看電視或滑手機，但只要我們想做什麼，跟爸爸說，他幾乎都會答應。放假時也會帶我們去爬山、露營，很疼愛我和姊姊。

媽媽的身材穠纖合度，很喜歡打扮，出門時還會化妝，但我覺得不管有沒有化妝或打扮，她都很漂亮。媽媽的個性很溫柔，也很會安慰人，每當我或姊姊有煩惱時，只要找媽媽傾訴，媽媽的話都能讓我們豁然開朗，撫平心中煩憂，不再鑽牛角尖。

我的姊姊很喜歡看書，很聰明，不管功課還是才藝，都有出類拔萃的表現，我很崇拜姊姊，想向她學習，不過我還是沒辦法像她一樣，一直坐著專心看書。姊姊常會擔心一些幾乎不可能發生的事情，例如：彗星會不會撞上地球？冰山融化會不會淹沒大地？我希望她不要那麼杞人憂天，也可以像我一樣每天快快樂樂，很少煩惱，雖然她都說我這樣很無腦，但我還是喜歡姊姊。

我的個子不高，和爸爸一樣臉圓圓的，總是笑咪咪的，個性不拘小節。我的功課普普通通，最喜歡運動，最近學會騎腳踏車，很想要挑戰騎到很遠很遠的地方，跆拳道我也練習兩年了，希望可以拿到黑帶。在家裡我很喜歡說話，最愛和家人聊天，也是家裡的開心果。

一天之中，我最喜歡晚餐時光，我們一家人圍著餐桌，聊著今天發生的事情，愉快又親密，謝謝爸爸、媽媽給我一個溫暖的家。

引導發想

1 你的家裡有哪些成員？

2 家人的容貌、身高、體型，各是什麼樣子？

3 家人的個性和脾氣有什麼不同？日常生活中家人間是怎麼相處的呢？

4 你最喜歡和家人一起做什麼？為什麼？

成語工具箱

1 不修邊幅（ㄅㄨˋ ㄒㄧㄡ ㄅㄧㄢ ㄈㄨˊ）

解釋 形容不講究服飾儀容的樣子。

2 穠纖合度（ㄋㄨㄥˊ ㄒㄧㄢ ㄏㄜˊ ㄉㄨˋ）

解釋 形容身材適宜，胖瘦恰到好處。

3 豁然開朗

解釋　環境由狹隘幽暗轉變為開闊明亮，常用來形容突然頓悟道理或問題即將有轉機，得到解決。

4 鑽牛角尖

解釋　比喻一個人的想法固執而不知變通，執著在微小、沒有意義或無法解決的問題。

5 出類拔萃

解釋　形容才能特出，表現超越眾人。

6 杞人憂天

解釋　杞國人擔心天會塌下來而憂慮不安。比喻缺乏根據，沒有必要的憂慮。

7 不拘小節

解釋　形容為人灑脫，不被生活上的細節所拘束。

形容「身材」可以使用

虎背熊腰、昂藏七尺、大腹便便、嬌小玲瓏、亭亭玉立

形容「個性」可以使用

多愁善感、優柔寡斷、我行我素、實事求是、循規蹈矩

第35週

我的缺點和優點

ㄨㄛˇ ˙ㄉㄜ ㄑㄩㄝ ㄉㄧㄢˇ ㄏㄢˋ ㄧㄡ ㄉㄧㄢˇ

寫作提示

我們最親密的人就是自己，所以從自身出發，介紹自己、探索自我這類型的寫作題目非常多。每個人不但長相、外貌不一樣，個性和喜好也大不相同，面對同樣的事，也會有不同的反應，寫作時就要寫出你自己獨特之處。

在寫「我的缺點和優點」時，第一段可以寫你對缺點和優點的看法。第二段寫自己的缺點，是自己發現的，還是別人提醒的？缺點對你造成了什麼影響，你要如何改進呢？接下來第三段寫自己的優點，可以舉出例子，讓前面的敘述更加有說服力。最後的結論提出對自己的優缺點的想法和反思。

在描寫自己的缺點或優點時，如果能寫出這些特質對自己造成什麼影響，像因為脾氣暴躁，難以交到好朋友等，便可以透過寫作，更了解自己，改進缺點，肯定優點，使自己更進步。

參考範文

每個人都有優點，也會有缺點，這些特質都是我們的一部分，我也不例外。

我的缺點是太懶散，即使事情迫在眉睫，我仍然慢條斯理的做，所以上課常遲到，作業也常遲交。老師找我談了好多次，我現在努力不要再賴床，早點起來，回家一定會先寫作業，希望之後每天能準時上課和交作業。

還有上課的時候，我有聽不懂、看不懂的地方，也不會想問清楚，因為這些缺點，我的成績一度岌岌可危，老師也常提醒我，學習態度要更積極認真，還特地幫我加強不及格的科目，我很感謝老師，下定決心要好好讀書。

我的優點是很熱心，很有正義感，樂於幫助別人。同學有需要協助的地方，我不會袖手旁觀。之前班上轉來一位新同學，下課時總是一個人坐在座位上，不說話，所以許多同學不喜歡他，覺得他「很踐」。

老師請我幫忙照顧他，我每節下課都會去找他說話，分組活動時也會找他一組，剛開始他對我愛理不理，對我說的話好像也不感興趣，但我不在意，還是一直找他說話，找他玩。後來新同學個性越來越開朗，會主動找我聊天，和我成為了好朋友。我才知道他之前不說話，不是「很跩」，只是害羞和不習慣新學校、新同學而已，看到他的轉變，終於融入班級之中，我很開心，老師也一直誇獎我，讓我不太好意思。

我覺得如果有人提醒我們的缺點，應該從善如流，虛心接受，儘快的改進，因為它不會自動消失，不改進的話只會每下愈況，越來越嚴重，最後造成的問題都是咎由自取。而優點則要保持下去，如果能帶來良善的循環，就更美好，更有意義了。

引導發想

1 你的缺點是什麼？是別人提醒你的，還是自己發現的？

2 這個缺點會造成什麼影響？你知道怎麼改進嗎？

3 你的優點是什麼？表現在什麼地方呢？

4 對於自己的缺點及優點，有什麼想法？

成語工具箱

1 迫在眉睫

解釋 形容事情已經到了眼前，非常急迫。

2 慢條斯理

解釋 態度從容，動作緩慢，一點都不慌張的樣子。

3 岌岌可危

解釋　形容情勢非常的危險。

4 袖手旁觀

解釋　手放在袖子裡，在旁邊觀看。形容對事情不理會也不干涉。

5 從善如流

解釋　比喻樂於接受他人好的勸導與意見。

6 每下愈況

解釋　比喻情況變得越來越壞。

---

7 咎由自取

解釋　所有的罪過、責備與災禍都是自己造成的，有自作自受的意思。

形容「缺點」可以使用

恃才傲物、剛愎自用、好逸惡勞、好高騖遠、冥頑不靈

形容「優點」可以使用

虛懷若谷、腳踏實地、古道熱腸、一諾千金、高瞻遠矚

—記敘文—

事件

記敘事件時，要有條理的敘述前因後果，從開頭、發展、過程到結果。如果按照事情發生的先後順序來寫，那就是常見的「順敘法」；也可以用「倒敘法」，先說結果或結局，再寫過程。順敘法最容易掌握，倒敘法則可以增加閱讀的吸引力。

第36週 學游泳記

ㄒㄩㄝˊ ㄧㄡˊ ㄩㄥˇ ㄐㄧˋ

寫作提示

生活中常常有學習新事物的經驗，不管是體育，還是才藝，在學習的過程中，有時候一開始很熱衷，下定決心要學好，卻沒有毅力，碰到挫折或不如意，就失去信心放棄。但也有克服困難，學習成功的美好經驗。成功或失敗，兩種都是學習的成果，這類和「學習」相關的作文中都可以寫，重點是寫出過程的心得和體悟。

在寫作這類題目時，以「學游泳記」為例，第一段先寫出為什麼想學，或要去學的原因。第二段說明在哪裡學？由誰教導，以及剛開始學習時的感受。第三段寫練習的步驟和過程，有沒有遭遇困難？有什麼心情？怎麼去克服？最後一段寫出學習的成果和自己的心得。

學習新事物從開始、過程到結果，每個階段都很明確，是很好的記敘文寫作練習。寫作時也可以運用「對比」的方式，用學習過程中的難關，去突顯學習成功時的快樂心境，使文章讀起來更加生動。

參考範文

今年暑假，我報名了運動中心的游泳訓練班。小時候我曾經被水嗆到過，回想起來仍心有餘悸，很害怕下水游泳，但每次體育課時，看到同學們像魚兒一樣在水中游來游去，都令我好羨慕呀！所以下定決心，這一次一定要克服恐懼，學會游泳。

第一次上課的時候，有兩位像大哥哥、大姐姐一樣的教練來教導我們。一開始，教練先帶我們做暖身運動，要我們先沖沖水，適應水溫，然後到淺水區集合。接著指導我們一些基本動作，如：打水、閉氣。我專心的聽著教練講解，看著教練示範，但進到深水區練習時，我變得如驚弓之鳥，非常害怕，在教練耐心的安撫陪伴下，我才漸漸克服了恐懼。

上過幾堂基本訓練的課程後，教練開始教我們游泳，我還不太會換氣，有時也會忘記正確的姿勢。看到有些同學已經學會游泳了，我的心情著急又沮喪，教練看我垂頭喪氣，告訴我每個人學習的情況和進度都不同，要我不要和別人比較，多多練習就會進步。

放鬆心情，不再有壓力後，接下來的游泳課，我漸漸學會了換氣的技巧，有不懂的地方就請教教練，不斷改正、調整手腳的姿勢，學習漸入佳境，從一開始的狗爬式，游成了標準的蛙式，教練也誇獎我進步很快，表現突飛猛進呢！接下來，我還想學習自由式。

我很開心學習遇到困難時，沒有半途而廢。游泳課程結束時，我已經游得很好了，想到體育課時，可以在游池裡大展身手，就好期待能早點開學呢！

引導發想

1 你有沒有學習過什麼運動或才藝呢？為什麼想學？

2 在哪裡學？誰教你的呢？

3 學習過程中有遇到什麼困難嗎？怎麼解決的？

4 這次學習得到了什麼成果？

成語工具箱

1 心有餘悸

解釋 形容危險、驚嚇的事情過去後，心裡還存有陰影，回想起來覺得緊張、害怕。

2 驚弓之鳥

解釋 比喻曾經受過打擊或驚嚇，日後遇到類似的情況，就會感到驚恐不安。

3 垂頭喪氣

解釋　低垂著頭，意氣消沉。形容因失敗或不順利而心情沮喪的樣子。

4 漸入佳境

解釋　比喻情況轉好，或是興趣漸濃的意思。

5 突飛猛進

解釋　急速飛騰，猛烈的向前躍進。比喻發展進步神速。

6 半途而廢

解釋　事情做到一半，還沒有完成就停止了；比喻做事情有始無終，缺乏恆心。

7 大展身手

解釋　形容能充分展現自己的技藝或本領。

形容「進步快速」可以使用

突飛猛進、一日千里、日新月盛、刮目相看

形容「失敗」可以使用

半途而廢、功敗垂成、功虧一簣、一敗塗地、前功盡棄

第37週 我的志願

寫作提示

作文不只寫發生過的事情，也會寫到還沒有發生的事情，像是對未來的想像，最常見的就是「我的志願」。你有想過長大後要從事什麼職業、做什麼工作嗎？寫作時不只是寫出單純的羨慕或想像，也要具體一點寫出這個工作為什麼吸引你？有什麼特別的地方？並思考如何朝著這個方向努力，才能實現理想喔。

在寫「我的志願」時，第一段可以直接破題寫出自己的志願，也可以寫一寫曾有過哪些志願。第二段寫原因，為什麼這成為你現在的志願？第三段寫要實現這個志願需要具備的條件或怎麼準備？最後一段回到現在，從現在看未來，寫下自己的想法或期許。

隨著成長，我們的志願也會改變，這些改變都是寶貴的自我探索過程，幫助我們更加認識自己。

參考範文

從小到大，我的志願不斷改變，小時候，我常手舞足蹈的跟著音樂唱唱跳跳，想要當電視上的水果姐姐。跟媽媽去美髮院時，我覺得剪頭髮和燙頭髮好像在變魔術，又想當美髮師，現在我的志願是成為一位護理師。

為什麼我想當護理師呢？記得剛上小學的時候，我因為肺炎住院，雖然媽媽寸步不離的照顧我，但住在醫院，躺在病床上，聽到一點奇怪的聲音，或是呼吸又很難受時，我還是會胡思亂想，覺得很害怕。這時候，定期巡邏病房、注意病人身體狀況的護理師，就像是天使姐姐，會溫柔的安慰我，耐心回答我的問題，跟我解釋現在要做什麼，告訴我為什麼要吊點滴，以及各種儀器的功用，鼓勵我要有信心，說我很快就會恢復健康，沒什麼好憂愁的。

我看著護理師推著放滿醫藥的護理車，巡視每間病房，任勞任怨的照顧病人，幫病人換藥，提醒病人吃藥，有條不紊的完成工作。我覺得醫生醫治病人很厲害，但細心照顧病人，協助病人康復的護士更是功不可沒。

想要成為護理師，專業的訓練和知識很重要，愛心、耐心和細心也缺一不可，因為病人身體不舒服時可能會吵鬧，甚至因為心情不好而罵人。還有每個病人狀況不同，治療的方法和藥物也不同，護理師同時要照顧這麼多病人，真像三頭六臂的超人，我很敬佩護理師。

我的志願未來也有可能改變，像有時候我會想當YouTuber，但還沒想到要拍什麼主題的影片。我覺得隨著年紀增長，又會有新的興趣和志願，不斷的探索自我，想像未來，更有長大了的感覺。

引導發想

1 你曾經有哪些志願？現在的志願是什麼？

2 為什麼會立下這個志願？

3 你有認識或見過從事這個志願的人嗎？他們的工作會做些什麼？

4 想要實現這個志願，需要做什麼準備？

成語工具箱

1 手舞足蹈

解釋 手、腳舞動跳躍；形容非常高興、喜悅的樣子。

2 寸步不離

解釋 緊緊跟隨著，一步也不離開；或是比喻關係密切，總是在一起。

3 胡思亂想

解釋 比喻沒有根據的胡亂猜想，或不符合現實的想法。

4 任勞任怨（ㄖㄣˋ ㄌㄠˊ ㄖㄣˋ ㄩㄢˋ）

解釋 形容做事認真負責，不怕勞苦。

5 有條不紊（ㄧㄡˇ ㄊㄧㄠˊ ㄅㄨˋ ㄨㄣˇ）

解釋 指條理分明，有次序而不雜亂。

6 功不可沒（ㄍㄨㄥ ㄅㄨˋ ㄎㄜˇ ㄇㄛˋ）

解釋 形容對於能圓滿達成任務有最大的貢獻，功勞非常大，不可抹滅。

7 三頭六臂（ㄙㄢ ㄊㄡˊ ㄌㄧㄡˋ ㄅㄧˋ）

解釋 本指天神的長相；後用以比喻人本領高明，力量非常強大。

形容「認真工作」可以使用

任勞任怨、席不暇暖、宵衣旰食

形容「本領高明」可以使用

三頭六臂、神通廣大、呼風喚雨

—記敘文—

景物

描寫景物的記敘文，要透過深入觀察，寫出樣貌與特色。在描寫景或物時，如果畫面只是輕描淡寫快速帶過，不會留下具體的印象，所以在寫作上，要有重心，例如描寫山水美景時，其中最讓你感到賞心悅目的地方是什麼？觀察細膩，描寫也會細膩，而無論是寫景或是寫物，不能只是單純的介紹，還要加入自己的感受與感情，才不會像是觀光手冊或資料簡介喔。

第38週

我的房間

ㄨㄛˇ ˙ㄉㄜ ㄈㄤˊ ㄐㄧㄢ

寫作提示

描寫環境與空間的記敘文，要注意寫作的順序，可以由左到右，由上到下或由遠到近，跟著自己的目光和腳步，依序描寫看到的東西、擺放的位置，讓看文章的人也彷彿身歷其境。

在描述空間時，以「我的房間」為例，第一段可以先概述這個空間的大小和用途；第二段寫出房間裡有什麼家具，環境的布置與擺設；第三段加上你與這些物品之間的情感與關聯，房間裡最有紀念價值或你最喜愛的東西是什麼？你常在房間裡做什麼？最後一段的結語寫出待在自己房間的感受與對你的意義。

想要寫出好作文，觀察力很重要，我們一直在「看」，卻不見得有在觀察。例如想一想，教室的每個角落擺放了什麼東西？家裡有幾盞燈？每盞燈都一樣嗎？如果你不是很確定，可以從留心周遭環境開始，在生活中培養觀察力。

參考範文

我的房間不大，但裡面一應俱全，有一張床，一張書桌，還有衣櫥和書櫃。平日除了在房間裡讀書、寫功課，也是我休息、遊戲的好地方。

一進我的房間，靠牆的地方擺著一張咖啡色的木頭床，鋪了藍色格子床單，還有一個軟軟的大枕頭，躺在床上，溫暖又舒適，一下子便呼呼大睡，進入夢鄉了。床旁邊有一個衣櫃，媽媽會把洗好的衣服放在我床上，我再自己把衣服摺好，放進衣櫃裡。

每天放學回家後，我會在書桌上寫功課，書桌的書架和抽屜裡擺著我的課本、文具，還有一些小東西。這張書桌雖然已經使用好幾年了，但因為我很愛惜，看起來還是滿新的。

我的書櫃裡有我從小到大看過的繪本、故事書、百科全書，其中最特別的是整套的《哈利波特》。升四年級的暑假，我整天都在看《哈利波特》，每一本的情節我都滾瓜爛熟，滿腦子都是神奇的魔法世界，還曾異想天開，盼望著有一天貓頭鷹會送來一封霍格華茲入學通知書。

我的房間裡最特別的東西，就是掛在牆上的霍格華茲學院的一千片大拼圖，是我廢寢忘食好多天，努力拼成的。完成之後，爸爸幫我把拼圖裝框掛在房間裡。每當看到這幅拼圖，我的想像力就如天馬行空，飛進了魔法世界，準備好展開一場驚心動魄的冒險之旅。

雖然我沒辦法揮揮魔法棒，就讓房間變乾淨，要靠自己動手收拾，但我都會好好打掃，保持整潔，因為這裡是我的小小城堡和快樂天堂呀！

引導發想

1 你有自己的房間嗎？或者平時主要睡覺、活動的空間是哪裡？

2 裡面有什麼擺設？誰布置的？有什麼功用？

3 裡面最有紀念價值，或你最喜歡的東西是什麼？

4 你會在房間裡做什麼？待在房間裡有什麼樣的感受？

成語工具箱

1 一應俱全（ㄧˋ ㄧㄥ ㄐㄩˋ ㄑㄩㄢˊ）

解釋 應該有的東西都很齊全。

2 呼呼大睡（ㄏㄨ ㄏㄨ ㄉㄚˋ ㄕㄨㄟˋ）

解釋 形容睡得很熟，發出了打呼聲。

3 滾瓜爛熟

解釋 熟透的瓜滾落到地上。比喻極為純熟流利。

4 異想天開

解釋 比喻不符實際，不合事理，憑空而來的奇特想法。

5 廢寢忘食

解釋 不睡覺，也忘了吃飯；形容人專心努力的投入工作或學習之中。

6 天馬行空

解釋 神馬在天空中奔馳。比喻文才豪放不拘，想像力豐富，或形容人言行浮誇，不符合現實狀況或需要。

7 驚心動魄

解釋 形容驚險刺激，非常震撼。

形容「房舍」可以使用

美輪美奐、富麗堂皇、環堵蕭然、雕梁畫棟、家徒四壁

形容「自在」可以使用

無拘無束、隨心所欲、自由自在、談笑自若、逍遙自得

第39週

到ㄉㄠˋ海ㄏㄞˇ邊ㄅㄧㄢ玩ㄨㄢˊ

寫作提示

人們喜歡親近大自然，因為開放遼闊的風光美景讓人身心舒暢，但當我們要描寫眼前壯麗的景色時，要如何下筆呢？可以以自己為中心，順著眼光所見，收攏記錄下來。

在描寫「自然風光」類的文章時，以「到海邊玩」為例，第一段寫出什麼時間，和什麼人到海邊。第二段描寫海邊看到的風景，身體的感受和心靈的感覺，也可以從不同的角度欣賞大海，描寫大海的變化。第三段寫人們在海邊可以做什麼？你自己又喜歡在海邊玩什麼？最後一段可以描寫大海的變化，及要離開時的心情。

在大自然裡，不僅看到的景象和平時不同，聽、觸、味、嗅的感受和在都市裡也不一樣，例如海邊或高山森林的空氣聞起來是什麼氣味呢？這些都是寫作時的重點喔。

參考範文

星期日一大早，天還沒有完全亮，我們一家人就開車出發去海邊了。我在車上打瞌睡，直到陽光把我喚醒，哇！海闊天空的美景已近在眼前。

下車後，我踩著柔軟細白的沙子，踏出深深淺淺的腳印，向海邊走去。放眼望去，蔚藍的天空映照著寬廣的大海，讓人心曠神怡。海風吹來，空氣中有著淡淡的鹹味，站在沙灘上，一陣陣波浪湧來，激起雪白的浪花，發出嘩啦啦！嘩啦啦！清脆的聲響，我把雙腳浸在海水裡，悶熱的暑氣全消，好清涼，好舒爽。

大海風平浪靜時像一面鏡子，但當風暴來襲時，卻會掀起滔天巨浪，向崖岸進攻，讓人退避三舍，深怕被海浪吞噬。我覺得大海有時候靜，有時候動，變幻莫測，充滿了神祕感。

有人坐在遮陽傘或小帳篷裡，看著一望無際的大海；也有人在海裡戲水，追逐浪花。遠一點的地方，我還看到有人拿著衝浪板，在海裡衝浪，好帥氣，好厲害喔！我和弟弟喜歡在沙灘上，拿著鏟子挖沙溝，堆沙堡，偶爾會冒出一隻小螃蟹或寄居蟹來做客，這個臨時的夏日大飯店，不知道小客人們滿不滿意？可惜無法久留，等到漲潮時，沙子城堡就消失無蹤了。

傍晚時，夕陽緩緩沉入海中，在水面渲染出一片粼粼紅光，絢麗的美景像一幅風景畫。當漁船返回港口，海風也漸漸變涼時，再怎麼樂不思蜀，還是要向大海說再見，該回家了。希望爸爸、媽媽很快能再帶我們到海邊玩。

引導發想

1 你有到海邊玩或看過大海嗎？

2 你覺得大海像什麼？你知道大海有哪些變化嗎？

3 你喜歡在海邊做什麼？人們又會在海邊從事哪些活動？

4 在海邊時，感受和在大都市裡有什麼不同？

成語工具箱

1 海闊天空

解釋 形容天地遼闊無邊際；或比喻心胸開闊、心情開朗；或無拘無束的樣子。

2 心曠神怡

解釋 形容心境開朗，精神輕鬆愉快的樣子。

3 風平浪靜

解釋 海面上沒有風也沒有浪，也可比喻情勢非常平靜、穩定。

4 退避三舍

解釋 比喻為了避免正面衝突，主動退讓，不與對方相爭。

5 變幻莫測

解釋 形容事物變化多端，難以預測。

6 一望無際

解釋 一眼望去，看不到邊際；形容十分寬廣、遼闊。

7 樂不思蜀

解釋 快樂到忘記了原來的國家蜀

國。比喻留戀外地不想返回故鄉，或形容沉迷在快樂時光中，不想回家。

形容「海」可以使用

一望無際、風平浪靜、波濤洶湧、海天一色

形容「心情舒暢」可以使用

心曠神怡、神清氣爽、欣然自樂、怡然自得

抒情文

抒情文是以抒發內心情思、心靈感受為主的文章，寫作的重點在情感的表露。但「情感」不是一種具體，有固定形狀的東西，情感是抽象的，所以在描述心中感情的時候，可以寄託在人事或景物上，同時，形容情緒的詞彙越精準，越真情流露，文章也就越細膩感人。在選擇寫作題材時，可以先從個人真實感受出發，這樣寫出來的文章才會自然生動，不會太過矯情刻意。

第40週

我最感謝的人

寫作提示

得到別人的幫助而心懷感謝，是很誠懇真摯的感情。生活中值得感謝的人很多，生養我們的父母、傳授知識的師長、支持陪伴我們的朋友，或是我們不認識，卻默默守護我們平安的警消、醫護人員等，都可以透過寫作表達我們的謝意。

在寫「我最感謝的人」時，開頭第一段先介紹你最感謝的人是誰，為什麼想感謝他？第二段寫出他為你做過哪些事情？第三段寫這些事情帶給你什麼幫助和影響；最後一段表達內心的想法與感情，也可以進一步寫出希望怎麼回報這份恩情。

寫抒情文時，可以寫出真實的情境和事例，真情就會自然的流露其中了。

參考範文

我最感謝的人，就是我的媽媽。從小我就覺得，媽媽就像是魔術師，我喜歡吃的東西，常常會突然出現在餐桌上；我需要的東西，也一定事先準備齊全。我覺得好神奇，為什麼媽媽對我瞭若指掌，不用說出來，就知道我喜歡什麼？想要什麼呢？

記得小時候，我總是如影隨形的跟在媽媽身邊，每天從早到晚，媽媽無微不至的照顧著我，晚上還會講故事給我聽，哄我睡覺。我上幼兒園後，媽媽也要到公司上班，我常常在幼兒園門口號啕大哭，不讓媽媽離開，媽媽因為我遲到好幾次，但她還是有耐心的安撫我。

上小學後，當我在學校受傷時，媽媽馬上請假趕來接我；課業上有不懂的地方，媽媽用心教導我。雖然她的工作很忙，但學校有活動時，她還是排除萬難前來參加，假日也會帶我去逛文具店，看電影，花很多時間陪伴我。

從小接受媽媽的照顧，我卻很少幫媽媽做什麼事情。這個星期天，我觀察媽媽一天做的事情，發現我起床時，她已經起床了，還煎好了全家的早餐蛋餅。吃完早餐後，我陪媽媽去超市買東西，發現媽媽買的都是我們喜歡吃的東西。回家後，她接著洗衣、拖地、做飯，一整天忙個不停，雖然是假日，卻一點都不輕鬆！到了晚上我要睡覺時，媽媽還沒睡。

媽媽真是太辛苦了，我總是依賴著媽媽，把她的付出視為理所當然，幾乎不曾表達我的感謝。我決定現在開始，要記錄下「媽媽喜歡什麼」，然後好好的存零用錢，下次媽媽生日時，才能像她對我一樣，投其所好，給她一個大驚喜。

引導發想

1 你最感謝的人是誰？為什麼？

2 他為你做了哪些事情，或付出了什麼？

3 這些事情帶給你什麼幫助和影響？

4 對於曾給予自己幫助的人，可以怎麼回報，表現心意呢？

成語工具箱

1 瞭若指掌

解釋 比喻對事物了解得非常清楚透徹。

2 如影隨形

解釋 像形體和影子的關係一樣，比喻緊緊跟隨不分離。

3 無微不至

解釋 每一個細微處都照顧到了；形容非常精細周到。

4 號啕大哭

解釋 形容非常悲痛或激動的放聲大哭。

5 排除萬難

解釋　形容一個人用盡心力，克服一切的困難。

6 理所當然

解釋　按照道理而言，應該這麼做的事情。

7 投其所好

解釋　比喻刻意去迎合他人心中所喜愛的事。

形容「照顧」可以使用——無微不至、體貼入微、解衣推食、關懷備至

形容「了解」可以使用——瞭若指掌、了然於胸、心領神會

第41週

一張照片的回憶

寫作提示

文章中描述的時間點可以是想像未來，也可以回到過去，像「小時候」、「童年時光」這類型的題目，就是以回憶的方式，追敘往事，回味當時的情感。

「照片」保留了過去的時光，留下了值得紀念的畫面，在寫「一張照片的回憶」時，開頭第一段先介紹這張照片是什麼時間拍的？裡面有什麼人？是什麼樣的情境？第二段回到過去，照片讓你想起哪些往事？為什麼珍貴難以忘懷？第三段可以寫下拍完這張照片後的變化，或現在和當時有什麼不同？最後一段回到現在，寫下看到照片時的感受和心情。

一張照片可以勾起許多回憶，有開心的，有悲傷的，又或者是人生關鍵的一刻。別忘了，照片不會說話，是你要幫它說話，並賦予感情喔。

參考範文

我們家有很多照片，有親友聚會的照片、節慶生日的照片、旅行遊歷的照片，其中一張照片放在客廳的櫃子上，每次看到時，我都刻骨銘心，陷入深深的思念之中。

照片中，是可魯一臉好奇的看著媽媽抱著還是小嬰兒的我。可魯是我們家養的拉布拉多狗，媽媽說，牠出生不久就來我們家了，牠長大後，我才出生，所以可魯就像是我的哥哥一樣。

我小的時候，可魯總是在我身旁陪伴著我。我的個子從比可魯還矮，長到比可魯高，牠還是像哥哥一樣保護我。我被爸爸責罵時，牠總是一副憂心忡忡的樣子，在我旁邊走來走去。如果爸爸對我太凶，牠還會忍不住對爸爸叫，極力想保護我的模樣，讓大家都忍不住笑了出來。

可魯最喜歡和我一起玩。我摸牠時，牠會舔我的手，我坐在沙發上時，牠也會趴在我旁邊，靠在我身上。我故意搶牠的玩具，牠也只是無奈的看著我，好像哥哥在禮讓弟弟一樣，這些情景直到現在我仍記憶猶新。

小狗的年齡成長得比人快，我十歲時，可魯老了，漸漸的牠趴著的時間越來越長，不太吃東西，也不太活動，變得骨瘦如柴，常常進出獸醫院看病，終於，在一個淒風苦雨的夜晚，可魯離開了我們。

可魯就像我們的家人，牠的離開讓我哭得泣不成聲。現在，每當想起可魯，我還是會悲從中來，覺得很難過。還好相片和影片記錄了我和牠之間的點點滴滴，保留了過去美好的瞬間，每當我看到時，就彷彿時光倒流，每一張相片，都是珍貴的回憶。

引導發想

1 選一張充滿回憶的照片，你會選哪一張？

2 這張照片是什麼時間拍攝的呢？裡面有哪些人？是什麼樣的情景呢？

3 這張照片讓你回憶起哪些往事？

4 這張照片對你的意義是什麼？現在再看一次，有什麼感受？

成語工具箱

1 刻骨銘心（ㄎㄜˋ ㄍㄨˇ ㄇㄧㄥˊ ㄒㄧㄣ）

解釋 形容感受或記憶極為深刻，永難忘懷。

2 憂心忡忡（ㄧㄡ ㄒㄧㄣ ㄔㄨㄥ ㄔㄨㄥ）

解釋 形容人心中有所牽掛，憂慮不安的樣子。

3 記憶猶新（ㄐㄧˋ ㄧˋ ㄧㄡˊ ㄒㄧㄣ）

解釋　對接觸過的人或事，還記得很清楚，就像最近才發生的一樣。

4 骨瘦如柴（ㄍㄨˇ ㄕㄡˋ ㄖㄨˊ ㄔㄞˊ）

解釋　形容身體像枯柴一樣非常消瘦。

5 淒風苦雨（ㄑㄧ ㄈㄥ ㄎㄨˇ ㄩˇ）

解釋　形容風雨連綿的惡劣天氣；也可以用來比喻悲慘淒涼的境況。

6 泣不成聲（ㄑㄧˋ ㄅㄨˋ ㄔㄥˊ ㄕㄥ）

解釋　哭得發不出聲音，形容十分悲傷的樣子。

7 悲從中來（ㄅㄟ ㄘㄨㄥˊ ㄓㄨㄥ ㄌㄞˊ）

解釋　形容從內心深處升起悲傷的情緒。

形容「想念」可以使用——日思夜想、念念不忘、牽腸掛肚、一日三秋

形容「悲傷」可以使用——肝腸寸斷、泣不成聲、淚如雨下、悲痛欲絕、椎心泣血

第42週

美ㄇㄟˇ好ㄏㄠˇ的˙ㄉㄜ友ㄧㄡˇ誼ㄧˋ

寫作提示

人和人之間的情感，會隨著時間起伏轉變，不會一直一樣，這樣的變化，豐富了我們的生活，也是寫作這類型抒情文的重點。

在寫「美好的友誼」時，可以藉由敘述事件，帶出心中的情感。第一段先寫你和朋友是怎麼認識的？友誼萌發的契機是什麼？第二段寫出兩人之間互動往來，從陌生到熟悉，變成朋友的過程。第三段再更深入描寫，寫出兩人間發生過哪些印象深刻或難忘的事，讓你們從「朋友」變成「好朋友」，讓這份友誼變得珍貴。最後一段總結這樣真摯的友誼，帶給自己的影響，以及對這份友誼的期盼。

記住，抒情文的寫作重點不在介紹好朋友，而是要寫出你和好朋友相處過程中累積下的動人情誼，要寫出的是「友情」中的「情」喔。

參考範文

升上五年級剛開學的時候，我來到新的班級，沒有熟識的同學，下課的時候，看到許多同學聚在一起聊天，我卻一個人坐在座位上，不知道怎麼開口跟同學說話，就在我感到忐忑不安的時候，坐在我後面的小欣主動跟我說話，還帶我認識其他的同學，從此之後我不再孤單，交到了許多朋友。

和小欣聊天之後，發現我們喜歡的偶像、愛看的影片、追蹤的 YouTuber 都很像，興趣也都是畫畫，每天有聊不完的話題，很快就成為了莫逆之交。平時我有什麼煩惱會向小欣傾訴，小欣有什麼心事也會告訴我。因為學校裡有這個好朋友，讓我變得很喜歡上學，每當假日時，或是放長假，見不到小欣，便感覺一日三秋，很想念她。

小欣對待同學很親切，做事認真又細心，我最佩服她的地方是她的個性很正直，也很有主見，不會隨便說別人壞話或批評別人，更不會人云亦云。記得有一次，因為我比較害羞內向，被其他同學誤會我是故意不理她們，開始討厭我，說我的壞話，讓我很傷心。小欣卻不受影響的陪伴著我，幫我說話，鼓勵我不要害怕，說出自己的想法，化解同學們對我的誤會，我很感謝小欣的挺身而出，陪我度過最難受的日子。

這學期小欣以全票通過，當選了我們班的模範生，真是實至名歸，看她當選，比自己當選還高興。我真幸運，能交到小欣這個好朋友，真摯的友情讓我在心情低落時感到溫暖，也讓我的校園生活更加多彩多姿。希望能和小欣一直同班，畢業後上國中還能再同班，繼續做好朋友。

引導發想

1 你的好朋友是誰？你們是怎麼認識的？

2 描述一下和這位好朋友相處的過程？是什麼讓你們成為好朋友？

3 好朋友讓你感動或難忘的事情？

4 心中對這份友誼的感想？

成語工具箱

1 忐忑不安

解釋 因為心虛、憂慮而感到心神不寧，不能安心。

2 莫逆之交

解釋 形容感情融洽，心意相契合的好朋友。

3 一日三秋

解釋 形容思念殷切，多用於對親人或好友的懷念。

4 人云亦云

解釋 別人說什麼，就跟著隨聲附和；形容沒有獨立的見解或主張，只會盲目的附和別人。

5 挺身而出

解釋 遇到困難或危機時，勇敢的站出來，承擔責任或風險。

6 實至名歸

解釋 真正有實力的人，即使不求人知，名譽自然還是會來。

7 多彩多姿

解釋 形容內容豐富華麗，有許多不同的變化。

形容「好朋友」可以使用

莫逆之交、管鮑之交、刎頸之交、忘年之友

形容「關係親密」可以使用

如膠似漆、水乳交融、形影不離、如影隨形

第43週 我的寶貝

ㄨㄛˇ ˙ㄉㄜ ㄅㄠˇ ㄅㄟˋ

寫作提示

我們從小到大當作寶貝的東西，可能是每天抱著入睡的布偶、小被子，某年生日收到的禮物，或是旅遊紀念品等，這個東西久而久之也成為了一種感情象徵。藉物抒情就是借助這樣的東西，帶出自己的情感或回憶。

在寫「我的寶貝」時，第一段破題寫出你的寶貝是什麼？先做基本的介紹。第二段寫出你是怎麼得到這樣寶貝，以及剛得到時的感受；第三段寫出為什麼這個東西會成為你的寶貝，在你的生活中扮演什麼角色？最後一段再用這個寶貝對你來說特別的意義做結。

有些東西在別人眼中可能又舊又平凡，但你卻覺得有著無可取代的價值，這是因為你在它身上投注的情感，讓它成為了獨一無二的心愛寶貝。

參考範文

我有很多心愛的、寶貝的東西，像是第一隻手錶、好朋友送我的卡片、自己親手做的音樂盒等，這些物品並不是價值連城，有些甚至已經壞掉了，但我仍好好收藏著。其中最重要的一項寶貝，就是「咩咩」。

「咩咩」是一隻穿著毛茸茸白色背心的粉紅色小熊，有一次爸爸、媽媽帶我出去玩，我看到路邊一臺夾娃娃機裡有各種顏色的小熊，其中一隻粉紅色小熊好像在看著我，笑咪咪的和我打招呼。爸爸發現我很喜歡，說要夾那隻小熊給我，後來爸爸操作機器時，我目不轉睛，緊張的在一旁看著，但爸爸夾了好幾次還是夾不到，決定放棄。我因為期待落空忍不住哭了，爸爸於是又再夾了一次，這次終於成功。我破涕為笑，抱著小熊，覺得爸爸就像是英雄一樣，解救了小熊。

從此之後，我和咩咩形影不離，在我幼小的心靈裡，小熊咩咩和我一樣，有想法和情感，只是不會說話，但我的意思她都能心領神會，所以我什麼話都會和她說。她就像我的好朋友，我們會一起玩扮家家酒，一起看故事書。

我在書桌上畫畫、寫功課時，咩咩也會坐在書桌上陪伴我。每天晚上，我都會抱著咩咩一起睡，以前我怕黑，也很膽小，睡覺時不敢關燈，有了咩咩的陪伴，漸漸的我關著燈也可以入睡了，有她在我就心滿意足。

上小學之後，我不再走到哪都帶著咩咩，但睡覺時還是會抱著她，只要看到她，就覺得好安心，雖然在學校裡我有許多朋友，但咩咩仍是我獨一無二的好朋友，也是我最心愛的寶貝。

引導發想

1 你最寶貝的東西是什麼？是怎麼得到它的？

2 為什麼這樣東西會成為你的寶貝？

3 在你的生活中，這個寶貝扮演了什麼角色？

4 對你來說，這個寶貝有什麼特別的意義？

成語工具箱

1 價值連城

解釋 價值可抵得上好幾座城池。比喻東西珍貴無比。

2 目不轉睛

解釋 眼珠子動也不動；形容凝神注視，非常專心的樣子。

3 破涕為笑

解釋 比喻停止哭泣，將傷心轉為歡笑。

4 形影不離

解釋 像形體和影子一樣，一刻也不分離；形容關係親密，無時無刻相處在一起。

5 心領神會

解釋 不需要對方用言語說明，就能明白領會他的想法或意思。

6 心滿意足

解釋 形容心中感到非常的滿足。

7 獨（ㄉㄨˊ）一（ㄧ）無（ㄨˊ）二（ㄦˋ）

解釋 只此一個，沒有其他；形容最特別，沒有任何可與之相比或相同的東西。

形容「價值」可以使用

價值連城、無價之寶、不值一錢、一文不值

形容「專注」可以使用

目不轉睛、聚精會神、全神貫注、心無旁騖、專心致志

論説文

論説文是經過思考後，有條理的對人、事、物表達自己的意見和主張，說明道理、提出看法和建議，又可分為「議論文」和「說明文」。「議論文」主要在探討一個意見或事件，偏重在表達自己的主張；「說明文」主要是解說事物的性質、特點，陳述功用、價值，或是介紹某方面知識。寫作時，議論之前可能會先陳述說明，說明之後也常會加入自己的看法，兩者之間常常互用，所以又用「論說文」來統稱這兩類的文體。

論說文在寫作上，結構和內容要求更為嚴謹，文章段落更有條理層次，並要根據自己的立場列舉適當的例證來增加說服力。

習慣提出問題、分析問題、解決問題的步驟，可以讓我們更清楚、精確的表達自己的意見，讓他人明白，這項能力不只能用在寫作上，也可以運用在日常生活各面向的溝通、說明。

第44週

小學生可以使用手機嗎？

寫作提示

寫論說文時，常遇到的難關是表達自己的意見後，還要再去說明原因，說服別人，如果只是寫：我覺得這樣不可以、我認為這樣才對……，是沒有說服力的，內容也會很乏味，但意見和主張要怎麼具體的表達呢？

在以「小學生可以使用手機嗎？」這個題目為例，開頭第一段可以直接提出自己的論點：贊成還是反對；第二段承接論點，說明自己的理由；第三段可以從不同的角度探討問題，用「舉例」的方式，以自己親身使用手機的經驗或是身邊人的例子，帶出個人觀點與看法；最後一段要根據前面的論述，再次呼應自己的主張，做一個結論。

按照這樣的順序論證自己的主張，邏輯思路就會很清楚，同時不要只談理論，還要加入事例說明，內容才不會流於枯燥，能引起共鳴，會更有說服力。

參考範文

現在不管在哪裡，都可以看到有人在使用手機，手機已成為人們生活不可或缺的存在，我認為小學生也可以使用手機，不過和大人相比，還是要有些限制。

我覺得手機最方便的功能是天涯比鄰，消除了人與人之間的距離，不管你在什麼地方，都可以即時溝通。爸爸、媽媽要找我們時，或是臨時有什麼急事，手機都可以發揮功能。爺爺、奶奶也可以透過視訊看看我們，和我們聊天，不會寂寞。我們自己也可以用手機查資料或看影片，知道世界上發生了什麼事，學習知識，增廣見聞，不會像井底之蛙。

不過也因為手機太便利，容易讓人沉迷其中，像用手機上網、追劇看影片、玩遊戲打怪，常常一、二個小時就過去了。有一次我用手機玩遊戲，媽媽一直叫我，我都沒聽到，結果媽媽大發雷霆，沒收我的手機，禁止我使用。手機剛被沒收時，我做什麼事都意興闌珊，覺得好無聊。但是習慣了之後，我的時間變多了，沒有一直盯著手機螢幕，眼睛也不再痠痛，我才發現，有手機雖然很好，但一定要控制好使用時間，如果太依賴手機，影響正常生活，就得不償失了。

後來媽媽把手機還我，我偶爾上網看影片，在班群裡和同學聊天，遇到好奇的事就自己查資料，找答案，有手機真方便，彷彿全世界都在我們手中。但現在我不再用手機玩遊戲了，我覺得在學校裡和好朋友面對面聊天，一起打球，比線上世界更有趣，更勝一籌。我贊成小學生可以使用手機，但要善用手機的優點，避開缺點。

引導發想

1 你擁有自己的手機或使用過手機嗎？你贊成還是反對小學生使用手機呢？

2 贊成或反對的理由是什麼呢？

3 舉一個自己或身邊人相關的例子，證明自己的主張。

4綜合前面的觀點，做一個結論。

成語工具箱

1 不可或缺

解釋　比喻非常重要，不能缺少的。

2 天涯比鄰

解釋　比喻雖距離遙遠，也能心意相通，而不感到孤單。

3 井底之蛙

解釋　比喻一個人見聞狹窄、知識淺薄。

4 大發雷霆

解釋　比喻非常生氣，大聲斥責別人，好像雷聲一般。

5 意興闌珊

解釋　形容人沒有興致，心情低落的樣子。

6 得不償失

解釋　形容做事所付出的功夫太多，而得到的成果太少，或指得到的利益比不上所受的損失。

7 更勝一籌

解釋　形容兩相比較之下更為優秀、出色的。

形容「重要」可以使用

不可或缺、舉足輕重、茲事體大、重中之重

形容「見識淺薄」可以使用

井底之蛙、以管窺天、一孔之見、孤陋寡聞、目光如豆

第45週

我對校園霸凌的看法

ㄨㄛˇ ㄉㄨㄟˋ ㄒㄧㄠˋ ㄩㄢˊ ㄅㄚˋ ㄌㄧㄥˊ ˙ㄉㄜ ㄎㄢˋ ㄈㄚˇ

寫作提示

生活中，你可以清楚有力的表達出對一件事情的意見或看法嗎？在表達之前，我們必須先了解這件事情的緣由或經過，或知道它的定義，再藉由過去的經驗或思考，形成自己的看法。即使不是在寫作文，也可以用類似的思考模式，想想和自身相關的問題，像：上學需不需穿制服、教室裡要不要開冷氣、上學時間該延後嗎？訓練自己思考的能力。

以寫「我對校園霸凌的看法」為例，開頭第一段可以先為「霸凌」做一個定義或說明；第二段寫為什麼要關注或重視這個問題？第三段可以舉出例子，或是提出解決辦法；最後總結上面的論述，寫出你的看法。

表達意見或看法時，不能無中生有，要有條有理的展現思考的過程，才能說服別人。

參考範文

這學期我們學習到「校園霸凌」這個議題，如果同學之間發生了持續性、針對性的欺負行為，造成身心靈的傷害，就是「霸凌」。過去我以為霸凌就是暴力打人，慶幸我們班不曾發生過這樣的事情，直到我聽老師說，故意孤立不喜歡的同學，或是嘲笑同學，都是霸凌，我才發現校園霸凌就在我們身邊，非常容易發生。

我覺得比起身體上的霸凌，外表看不出傷害，不容易引起注意的心理霸凌更可怕。像不喜歡哪一位同學，就對他視而不見，不和他說話，不和他一起玩，或聯合其他同學排擠他，對他冷嘲熱諷，幫他取不好聽的綽號嘲笑等等，這些行為我們可能認為只是同學吵架，或是惡作劇，但當事人卻耿耿於懷，甚至成為心中難以抹滅的陰影。

現在還有「網路霸凌」，在群組或社團裡說一些未經證實的流言蜚語，八卦隱私，或是上傳同學出糗或修圖過的照片，而其他人也跟著落井下石，以為不會被發現。然而當這些訊息不斷被轉發，都會對同學造成傷害。我也曾經覺得有趣，在群組裡附和過，跟著起鬨取笑某位同學，現在回想起來很後悔，因為如果我也被這樣取笑，一定會非常痛苦和難過。

我認為發生霸凌事件時，不要委曲求全，應該勇敢的站出來，請老師或家長幫忙。更重要的是，我們要注意自己的言行，不要為虎作倀，成為霸凌者的共犯。而如果我們成了霸凌者，一定要勇於認錯，反省自己的行為，誠心誠意的道歉，而且不可以再犯。希望每個人在校園裡留下的是美好的回憶，而不是痛苦的傷害。

引導發想

1 什麼是霸凌？你認為哪些行為屬於霸凌呢？

2 你有看過、聽過或親身體驗過的霸凌事件嗎？可以簡單描述事情發生的經過嗎？

3 當你發現身邊有霸凌行為時，你會怎麼做？

4 有關「校園霸凌」，你的看法是什麼？

成語工具箱

1 視而不見

解釋　雖然看到，卻好像沒有看到一樣；形容漠視而不關心的樣子。

2 冷嘲熱諷

解釋　形容用尖酸刻薄的言語，去嘲笑或諷刺別人。

3 耿耿於懷

解釋　指心中掛念某事，煩躁不安，無法釋懷的樣子。

4 流言蜚語

解釋　製造不實的傳言，和用來詆毀他人的話，後泛指謠言。

5 落井下石

解釋　別人掉入陷阱或井中，不但不相救，還向他投擲石塊。比喻乘人危難時，加以陷害。

6 委曲求全

解釋　委曲自己，勉強的遷就忍讓，以求保全或把事情辦好。

7 為虎作倀

解釋　傳說中被老虎咬死的人，靈魂變為倀鬼，供老虎差遣使喚。比喻做惡人的幫凶，幫著壞人做壞事。

形容「忍耐」可以使用——

委曲求全、百依百順、逆來順受、忍氣吞聲

形容「欺負」可以使用——

狐假虎威、為虎作倀、恃強凌弱、助紂為虐、仗勢欺人

第46週

保護環境從我做起

寫作提示

重大、熱門的新聞事件或是和我們，甚至全人類的生活都密切相關的重要議題，如：氣候變遷、環境汙染、疾病疫情等，也常成為作文的題目。

這類型的題目，寫作時要具備一定的知識基礎，這些基礎怎麼來呢？除了平時要多閱讀，看新聞，隨著年紀的增長，也要多關心最新的社會事件和國際趨勢，累積知識與常識。

以「保護環境從我做起」為例，第一段先寫出發生了什麼事情，為什麼要重視這個問題？第二段可以具體舉出哪些事情會傷害到環境？第三段落實到生活中，我們可以做些什麼，保護我們的環境？結論可以從正面寫環保的好處，也可以從反面寫，如果不落實環保會有什麼後果。

如果我們平時就有留心這些重要的議題，寫作時就不用煩惱不知道怎麼下筆，或是沒有題材了。

參考範文

前陣子有一則新聞，地球上最冷的北極小鎮，竟然出現破紀錄的高溫，像夏天一樣炎熱，冰雪都融化了。還有北極熊因為找不到食物，餓得奄奄一息的畫面。當二氧化碳排放過量，地球溫度上升，冰山融化，不只北極地區首當其衝，整個地球都會受影響。

隨著科技突飛猛進的發展，人們的生活品質大大提升，冬天有暖氣，夏天有冷氣，出門有摩托車、汽車、公車，還有輪船和飛機。工廠生產製造出大量的用品，需要的東西唾手可得，便利之餘，常常用過就丟，造成了各種環境汙染。

所以我們在享受便利生活的同時，也要身體力行保護環境，例如：外出到近的地方可以走路或騎腳踏車，遠的地方可以搭乘公車、捷運、火車等大眾交通工具，這樣可以減少二氧化碳排放帶來的空氣汙染。工廠在製造物品時，可能會排放廢氣、廢水，以及耗費大量的水資源，所以最好不要過度消費與浪費，只買需要的東西；或儘量挑選包裝簡單的產品，並自備環保袋。外出用餐時，最好隨身攜帶環保餐具、水壺，少使用一次性的免洗餐具、吸管。平常也要舉手之勞做好垃圾分類，養成資源回收的好習慣。更重要的是節約用水、用電，隨手關閉電源，少開冷氣或開冷氣時控制好溫度，都是保護環境的好方法。

地球溫度逐漸上升，造成的危機，不會只在一個國家或地方發生，與每個人息息相關，保護環境我們責無旁貸，要努力與自然環境和諧共存，而不是為了方便無限制加以破壞。

引導發想

1 保護環境為什麼很重要？

2 各種汙染為環境帶來了什麼傷害？

3 我們在生活中，可以養成哪些環保的習慣？

4 如果不保護環境，繼續惡化下去會有什麼後果？

成語工具箱

1 奄奄一息

解釋 僅存微弱的一口氣；形容快要死亡，或即將消逝、毀滅的事物。

2 首當其衝

解釋 指最先受到攻擊，或首先遭遇災難。

3 突飛猛進

解釋 急速飛騰，猛烈的向前躍進。比喻發展進步神速。

4 唾手可得

解釋 往手上吐口水。比喻事物很容易得到。

5 身體力行

解釋 形容親自去實踐，努力做到。

6 舉手之勞

解釋 比喻很輕鬆就可以做到的事情。

---

7 責無旁貸

解釋 指自己應盡的責任，沒有理由推卸給別人。

形容「關係密切」可以使用

唇亡齒寒、輔車相依、休戚與共、息息相關、禍福與共

形容「負責任」可以使用

當仁不讓、義不容辭、自告奮勇、義無反顧

創意聯想

想一想，小時候我們看過的繪本、童話書裡，動物們都像人一樣，有家，有朋友，生活中有開心的事，也有難過的事。每天晚上睡著時，月亮會跟我們說晚安，星星在夜空眨眼睛。長大一點，故事書裡的奇幻魔法世界，穿越古今的驚異冒險，這些情節，是不是特別好看又讓人著迷？其實像這樣具有想像力的寫法，也可以應用在日常的寫作中。

在寫作文時，觀察和思考很重要，聯想力和想像力也很重要。隨著年級越高，作文題目也會變得有挑戰性，開始出現抽象的主題，讓寫作者自由展

現創意。因為沒有現實生活體驗做參考，有些人會覺得這樣的題目很難寫，不知道要寫什麼。其實我們可以透過觀察進行聯想開始練習，像聽到雷聲好像是天空在生氣怒吼，看到飄雨彷彿是天空在傷心流淚，透過意象的轉換，慢慢擴展想像的世界，寫出充滿創意的作文。

第47週

假如我是……

寫作提示

寫作的素材除了來自生活經驗，也可以來自想像。你有沒有出現過「假如我是……」的想法呢？想像力是沒有任何束縛和邊際的，像心情沮喪時，可以想像自己變成太陽，紅彤彤暖洋洋給自己力量，也可以想像自己成為老師、明星、賽車手，或是動物、植物，大自然的一部分，甚至是《復仇者聯盟》裡的英雄或魔法師，拯救世界。

在寫「假如我是……」這類作文題目時，開頭可以先寫假如可以變身，你希望自己成為什麼？第二段再接著談為什麼希望自己變成這樣？第三段寫出如果變成他，會有什麼樣的生活？想要去哪裡？做些什麼？最後一段再寫出自己的理想或想要實現的願望。

這類作文中，你可以只寫一個自己想成為的東西，也可以用散列的方式，每一段寫一個想像中的「假如我是……」，同時寫好幾個。只寫一個時，可以表達得更深入詳盡；多寫幾個，內容會更豐富多趣，也需要更多的想像力。

參考範文

有時候，我會乘著想像的翅膀，飛往夢想的世界。在那裡，我可以千變萬化，實現好多心願。

假如我是一片雲，我要到處去旅行，穿越青翠的大地，蔚藍的海洋，造訪一個又一個不同的國家和城市，看遍世界美好風景。還可以隨心所欲，變換不同的造型，有時是一大團棉花糖，有時是張牙舞爪的獅子，有時是調皮古怪的精靈，跟抬頭看我的人們打招呼。偶爾我還可以化為一場雨，演奏大自然樂章給大家聽呢！

假如我是發明家，我想發明超級種子，不管環境多惡劣，只要澆一點水，晒一點陽光，就可以快速成長茁壯，結出果實。讓不管是因為乾旱、地震等天災，還是疫情、戰爭等人禍，處於水深火熱中的人們，只要有一顆超級種子，就有果汁可以喝，有果實可以吃，維持生命。

假如我是蜘蛛人，我要比現在勇敢一百倍。我不會告訴別人我的身分，單槍匹馬在城市裡盪來盪去，懲罰惡人，拯救好人。我想成為一個超級英雄，一定非常忙碌，不過即使分身乏術，我還是會好好讀書，因為懂越多知識，能力就越強大。

假如我是生物學家，我要想辦法讓恐龍，以及已經滅絕的動物和植物，再次重生。不是為了讓人們觀賞，而是因為人類長期霸占地球，大肆開墾，犧牲了很多生物，現在保護環境刻不容緩，我希望能讓滅絕的生物重生，還給他們一個適合生存的環境，地球是屬於所有生物的。

假如我是……，假如我是……，我心中有太多太多的「假如我是」，或許未來其中一個想像和願望，不再是「假如我是」，能夠真正的實現。

引導發想

1 假如可以變身，你希望自己是什麼？

2 為什麼想要變成他？

3 成功變身後，你想要做什麼事？去哪些地方？實現什麼願望呢？

4 關於希望自己變成什麼？你還有過哪些想像呢？

成語工具箱

1 千變萬化

解釋 形容變化很多的樣子。

2 隨心所欲

解釋 形容能夠完全順隨著自己的心

意去做事。

3 張牙舞爪

解釋 形容猛獸發威的樣子，也可以用來比喻張揚作勢，猖狂凶惡的樣子。

4 水深火熱

解釋 處在深水熱火中。比喻處在非常艱困、痛苦的情況下。

5 單槍匹馬

解釋 原指作戰時一個人上陣；比喻單獨行動冒險，不需要別人幫助。

6 分身乏術

解釋 比喻非常的忙碌，無法再兼顧其他的事情。

7 刻不容緩

解釋 形容情勢非常緊迫，一點時間也不能耽擱。

形容「情勢緊急」可以使用

刻不容緩、迫在眉睫、燃眉之急、急如星火、十萬火急

形容「變化多」可以使用

千變萬化、瞬息萬變、變化多端、變幻莫測

第48週

……的自述

寫作提示

想像一下，如果動物、植物，或是無生命的用品，有思想也有感情，會是怎麼樣的情形？他會怎麼介紹自己，有怎樣的生活方式呢？透過想像力，讓物體具有生命，賦予人類的特徵，在修辭中就叫做「擬人法」，像這類創意聯想類型的文章，幾乎都會運用到「擬人法」。

以「書包的自述」為例，書包是我們上學時一定會用到，與我們關係密切的物品，開頭第一段就要將自己化身為書包，用第一人稱的「我」，做自我介紹；第二段可以寫出自己的工作、和人類的關係等；第三段寫出日常生活的情形，遭遇過哪些狀況？第四段可以寫自己的想法、心情，或是想對人們說的話。

人和物最大的不同是有思想和感情，所以在作文中嘗試將物賦予生命自述時，也要有思想，和表現出感情的起伏喔。

參考範文

我是一個深藍色書包，正面印有卡通動漫人物，兩側有網袋可放水壺或雨傘。打開來後，裡面的空間很大，可以放很多書和文具。我的身上還有反光條，這樣即使在夜晚或是黑暗中，也看得到我，可以保護小朋友的安全。

三年前，我的小主人準備要上小學了，媽媽帶他到百貨公司買書包，他一看到擺在架上的我就喜上眉梢，選中了我，帶我回家。從此之後，我每天盡忠職守陪伴小主人上學，看著他上課時專心學習，下課時快樂的和同學聊天、遊戲，我也認識了許多書包朋友。

今天下課的時候，坐在我隔壁的書包妹妹對我說：「你怎麼灰頭土臉，身上好多汙漬喔，你的主人有幫你洗過澡嗎？」我聽了後，不好意思的低著頭。唉，剛開學的時候，小主人很愛惜我，放學回家後都會把我擦一擦，清理乾淨。可惜使用一年後，就很少幫我擦洗了。

我不只外表變髒了，裡面也亂七八糟，以前小主人會把課本哥哥、作業本妹妹、鉛筆盒弟弟整齊的擺放好，現在卻漫不經心的隨便往我肚子裡塞，他們的衣服都變得皺巴巴的，還常常破掉。更可怕的是，小主人還會把早餐吃到一半的麵包，或營養午餐沒有吃完的水果放進來，回家後又忘記拿出來，讓我散發出不好的氣味。前天，一位不速之客蟑螂先生突然來拜訪，把作業本妹妹嚇得花容失色。唉，不只是我，大家都很懷念過去小主人愛惜我們、照顧我們的美好時光。

我很喜歡我的工作，也很喜歡我的小主人，希望他有空時能幫我洗個澡，好好整理一下，保持乾淨，我還能陪他上學很久很久呢！

引導發想

1 想像一下，如果自己化身為一個無生命的物品，會是什麼？

2 試著用那個物品的角度，介紹自己的外型和功用？

3 這個物品如何和人們互動？會怎麼看待自己和別人？

4 這個物品可能遭遇到哪些狀況？會想對人們說什麼話？

成語工具箱

1 喜上眉梢

解釋 形容喜悅的心情流露在眉宇之間。

2 盡忠職守

解釋 竭盡忠誠的工作，完成自己的責任。

3 灰頭土臉

解釋 形容滿臉風沙灰塵，不乾淨的樣子；也可用來比喻做事失敗，面子、名譽受損的樣子。

4 亂七八糟

解釋 雜亂而沒有條理的樣子。

5 漫不經心

解釋 形容人做事隨便而不認真，毫不留意的樣子。

6 不速之客

解釋 比喻沒有受到邀請，就自己前來的客人。

---

7 花容失色

解釋 像花朵般美麗的容貌失去顏色。形容女子受到驚嚇的表情。

形容「髒亂」可以使用＿＿＿

汙穢不堪、亂七八糟

形容「不再喜愛」可以使用＿＿＿

束之高閣、打入冷宮

應用文

應用文是處理日常生活、人際往來事務所寫下的文書，形式包括：日記、書信、心得報告、公文、契約、通知、啟事、請帖等，和其他文體不同的地方是，應用文會根據用途和對象，有基本、固定的寫作格式。

對剛接觸寫作的人來說，最常寫的應用文是讀書心得，但其實應用文在生活上的使用非常廣泛，它最重要的功用就是傳遞正確的訊息，作為人際溝通，情感交流的紀錄，寫作時要留意文意清楚流暢，用字遣辭也要文雅有禮貌。

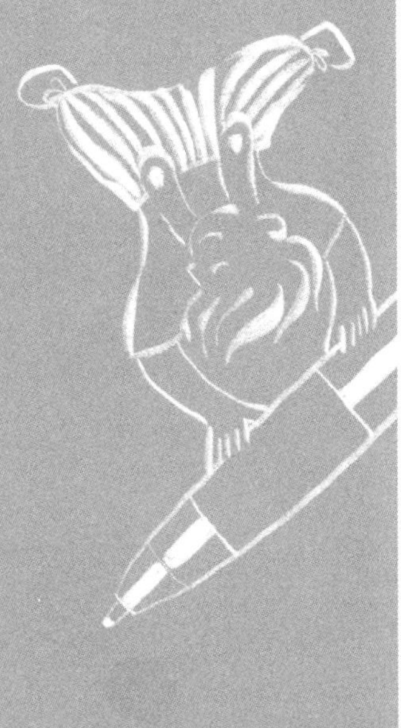

—應用文—

書信

書信是一種傳遞訊息，聯絡感情的應用文，傳統寫法有許多正式的敬詞和術語，用詞典雅，現代的書信沒有這麼多規定，但仍有一些基本的格式。主要有：

1稱謂：稱呼收信人，如：親愛的老師。

2開頭問候語：通常會有一個禮貌的問候語，如「您好」、「好久不見，最近好嗎？」有時也會省略。

3正文：寫信的原因，也是信件的主要內容。

4結尾祝福語：祝收信人平安、健康等。

5署名：根據和對方的關係寫上自稱和名字，如「兒」、「學生」，對長輩用「敬上」，對平輩用「上」。

6日期：最後一行寫上日期。

把握以上的結構，就可以寫出一封完整的信件了。

第49週

給〇〇的一封信

寫作提示

說到寫信，好像是以前的人才會做的事情，現在的人聯絡太方便，不用再透過信件交流，但其實生活中用「文字」溝通的機會非常多，不管是社群媒體還是電子郵件往來，也是一種簡單的書信形式。

在寫一封信時，開頭要有禮貌的問候，如果是不認識的人，就要先自我介紹；第二段要說明寫這封信的原因；第三段依據寫信的目的，表達自己的想法、感情或是提出請求，例如想一起合作，或需要幫助等；第四段結論可以表達祝福，或是提出希望得到的回應。

用文字書寫，可以完整表達自己的想法，也有時間去斟酌、修飾語句，更適合用來傳達心意和感情，但意思一定要清楚，以免收信人看了之後，誤解或搞錯你寫信的目的。

參考範文

親愛的消防員叔叔：

您好，我是幸福國小四年三班的劉志豪，老師要我們寫一封信給最敬佩的人，我腦海中立刻閃過您們在災難現場奮不顧身救人的畫面，雖然您不認識我，我還是想要寫封信給您，表達對您的敬意。

小時候我最愛看車子的繪本或圖鑑，其中最吸引我的就是又大又神氣的紅色消防車。第一次看到真正的消防車在馬路上鳴著警笛呼嘯而過，我好興奮，媽媽卻告訴我，消防車開得飛快，是因為有重大的任務。消防員分秒必爭的趕到現場，穿梭在危險的環境，出生入死滅火或救災，解救受困的人們，您們的工作非常偉大。

我也知道，每次消防車出動時，都是人命關天的緊急任務，您們的工作不只撲滅火災而已，颱風來襲、土石崩塌、地震、淹水、發生交通事故，各種災害的現場，都有您們的身影，在千鈞一髮之際，搶救人們的性命。為了保護他人，將自己的生命置之度外，需要多大的勇氣啊！

我想能夠成為一個消防員，一定要有強壯的體魄，還要具備各種消防相關的知識。我有幾個問題想請教您：為什麼您會當消防員呢？工作中遇過最危險、最難忘的是什麼事情？還有，我也想知道，成為消防員，就可以駕駛消防車嗎？希望能得到您的回覆，因為未來有一天，我也想成為一個消防員。

現在我只是一個小學生，能做到的事情就是注意安全，防患未然，不增加您們的工作。因為您們的守護，我們才能平平安安，也希望您們每次任務都平平安安。

敬祝事事如意

志豪　敬上

引導發想

1 你想寫一封信給誰？這個人和你是什麼關係？

2 為什麼要寫信給這個人？

3 想要向這個人表達什麼想法、感情，及想對他說什麼？

4 希望收信人給予什麼回應呢？

成語工具箱

1 奮不顧身

解釋 形容無所畏懼奮勇行事，不顧生死。

2 分秒必爭

解釋 一分一秒也要爭取；形容充分利用一切時間。

3 出生入死

解釋 形容人冒著生命危險，不把個人的安危放在心上。

4 人命關天

解釋 牽涉到人的性命，非常重大的事。

5 千鈞一髮

解釋 用一根頭髮吊著千斤重的東西；比喻情勢非常危險緊迫。

6 置之度外

解釋 形容不把某事放在心上，不在意也不理會。

7 防患未然

解釋 在危險、禍患還沒有發生之前，先加以防備。

形容「勇敢」可以使用

出生入死、奮不顧身、視死如歸、捨身取義

形容「危險」可以使用

九死一生、危在旦夕、危如累卵、岌岌可危、千鈞一髮

第50週 生日邀請及回覆

寫作提示

日常生活中，遇到生日、節慶或是一些重要的日子，會邀請親朋好友出席聚會，這時就需要寫請帖或邀請函，這也是應用文的一種。寫邀請函時要寫下活動的時間、地點，並說明原因。地點要附上詳細的地址，如果要先約在某一個地方集合後再出發，也要寫清楚。同樣的，當我們收到邀請函時，不管能不能準時出席參加，都要禮貌的回覆邀請者。現在紙本的通知和邀請函越來越少，大多改用電子郵件或社群媒體傳遞訊息，線上登記或回覆，但清楚的說明內容和來往的禮儀還是一樣重要喔。

參考範文

親愛的好朋友：

這個星期六是我十歲生日，我準備了蛋糕和點心，想邀請你們參加我的慶生會。我們平常在學校裡無話不談，卻沒有在校外見過面，希望假日時也可以見面聊天。我還準備了幾個炙手可熱的新遊戲，想和你們一起玩。期待你們的光臨。

時間：星期六早上十一點

地點：先在國小校門前集合，我再帶你們來我家。

小瑜　6月7日

親愛的小瑜：

收到你的邀請真開心，好希望星期六趕快到來，我會準時在學校門口和你會合。

謝謝你邀請我，這是我第一次去同學家玩，媽媽說我可以帶手機去，我們可以拍很多很多的照片，留下美好的回憶。我已經準備好生日禮物了，拭目以待吧。還需要準備什麼東西嗎？可以告訴我，不要客氣喔。

親愛的小瑜：

很抱歉，這個星期六我們家已經預訂營地，計劃要去露營了，所以不能參加你的慶生會，我的心裡好難過。

回想起開學第一天，我們一見如故，很快就成為好朋友。你開朗活潑的個性，就像小太陽，讓身邊的人都覺得溫暖。我很幸運能交到你這樣的朋友。

小嘉　6月8日

雖然不能參加你的生日會，但我已經準備好了禮物，還畫了一張卡片，會先帶去學校送給你，真心祝福你：生日快樂。等下個月我生日，再邀請大家到我家玩，好嗎？

容容　6月8日

引導發想

1 如果要寫一張邀請函給朋友？你想邀請朋友參加什麼活

動呢？

2 為什麼會想邀請朋友一起做這件事？

3 如果你收到邀請函，可以參加，會怎麼回覆？

4 如果你收到邀請函，無法參加，會怎麼回覆？

成語工具箱

1 無話不談

解釋：沒有什麼話不能說的。比喻感情深厚，心意相合。

2 炙手可熱

解釋：手一靠近就覺得很熱。比喻目前地位尊貴顯要的人；或是廣受歡迎，最流行的事物。

3 拭目以待

解釋：擦亮眼睛等待。比喻殷切期待事情的發展與結果。

4 一見如故

解釋：第一次見面就像是認識很久的老朋友一樣契合，相處和樂融洽。

形容「交際往來」可以使用

賓主盡歡、高朋滿座、禮尚往來、蓬蓽生輝、賓至如歸

形容「拒絕」可以使用

吃閉門羹、碰軟釘子、拒於門外、四處碰壁

—應用文—

讀書心得

我們讀完一本書，吸收、思考之後，寫下自己的想法、感受，以及產生的影響，幫助我們確認是否真的讀懂這本書，並且讀得更深入，這類型的文章便叫「讀書心得」。

讀書心得主要可分為兩大部分。第一部分是這本書的基本資料，包含書名、作者、出版社、出版日期和內容大意，介紹這是一本什麼樣的書。

第二部分就是讀完書後的心得感想，也是最重要的部分。同樣的一本書，每個人覺得精采的地方可能完全不同，覺得有收穫或是感動的部分也不一樣。好的讀書心得要能具體寫出書裡內容對「你」的啟發與影響。練習寫讀書心得也能培養我們掌握重點，篩選出書中精華，並整理成心得再介紹輸出的能力。

第51週

讀書心得：神奇柑仔店

寫作提示

看完一本書後心有所感，可能是因為你和書中的主角有過相似的經歷，或書中的情節觸動了你的感情，也可能是內容充滿了想像力，帶你進入了奇幻的世界。書的內容不會變，但每個人讀起來的感受卻不一樣，寫出自己的領悟，才是真正的心有所得。

在寫故事類書籍的讀書心得時，開頭第一段可以先寫你選擇這本書的原因；第二段介紹這本書大致的情節或是你最喜歡的角色；第三段寫你覺得最精采或感受最深刻的地方，並和自己的經驗做連結，曾經和書中角色有過相似的經歷或想法，都可以加以敘述描寫；第四段寫出看完這本書後，你有什麼心得或啟發。

「讀書心得」並不是一定要讚美這本書寫得多好，甚至你也可以不認同書中主角的選擇，提出自己的想法，這也是一種心得喔。

參考範文

書名：《神奇柑仔店12：神祕人與駱駝輕鬆符》

作者：廣嶋玲子

譯者：王蘊潔

出版社：親子天下

閱讀日期：民國111年2月5日

本書大意：

這本書裡有一間神奇柑仔店，名叫「錢天堂」，裡面有一位頭髮全白卻沒有皺紋，高大又充滿氣勢的女老闆「紅子」，店裡販賣各種奇特的零食或商品，這些零食有非常特殊的力量，能解決顧客的煩惱，實現心願。只要你擁有一枚特殊年分的硬幣，這間特別的小店就會出現在你眼前，提供你一項零食，幫你解決心裡的煩惱。只是，解決了煩惱不見得就是幸福。而且如果沒有按照說明書使用，還有可能發生難以預料的事情。

閱讀心得：

《神奇柑仔店》是我最喜歡的書，從第一集開始，我已經看到第十二集了，每一本都愛不釋手，一看再看。

這一集的故事中，出現了每個學生都想要「駱駝輕鬆符」，只要把想要輕鬆完成的事寫在背面，就可以不費吹灰之力的實現。故事裡的主角大地，許下了不用讀書，就可以考上第一志願的願望，果然實現了。

大地以為有了「駱駝輕鬆符」，從此之後再也不用讀書了。他得意忘形，整天玩樂，結果第一次期中考成績慘不忍睹，原來符紙只有高中會考那一天有用，其他的時候都沒用。

大地不是憑努力考上理想學校，進了學校後又沒有讀書，荒廢了課業。為了不被留級，接下來的日子，他只能發揮懸梁刺股的精神，拚命讀書，過著痛苦不堪的生活。

我也曾幻想過，如果有不用讀書，就可以考出好成績那有多好呀。看了這個故事後，我覺得想要不勞而獲，不努力付出就希望夢想成真，只會離夢想越來越遠。而且若不是憑自己的努力，依靠別人的幫助，有一天，這個幫助沒有了，下場只會更悲慘。

我喜歡《神奇柑仔店》的原因是故事裡有許多充滿創意和想像力的零食或物品，能為人們的生活帶來神奇的改變，而每次我覺得「這樣好好喔，我也好想要」時，又會有意外的轉變。每篇故事裡都有讓我進一步思考的地方，像是得到幸運不見得就是幸福的事，書中一篇篇精采好看的故事，讓我欲罷不能，好期待能趕快看到新的一集。

引導發想

1 如果要選一本書寫心得，你會選哪一本？

2 這本書讓你印象最深刻、最喜歡的地方是什麼？

3 你曾經和書中人物有過相似的經歷或想法嗎？或是如果你是書中主角，遇到同樣的狀況時，會怎麼做呢？

4 這本書給你什麼心得或啟發？

成語工具箱

❶ **愛不釋手**（ㄞˋ ㄅㄨˋ ㄕˋ ㄕㄡˇ）

解釋 形容非常喜歡，捨不得放手的樣子。

❷ **吹灰之力**（ㄔㄨㄟ ㄏㄨㄟ ㄓ ㄌㄧˋ）

解釋 比喻只需花費吹灰塵般微小的力量，多用以形容事情很容易達成。

❸ 得意忘形

解釋　形容人高興過頭，言語行動失去常態。

❹ 慘不忍睹

解釋　形容情況悽慘，令人不忍目睹。

❺ 懸梁刺股

解釋　用錐子刺大腿，將頭髮掛在屋梁上；形容發憤向學、刻苦上進。

❻ 不勞而獲

解釋　比喻不用付出勞力，就可以得到好處。

---

❼ 欲罷不能

解釋　想要停止，卻沒有辦法停下來。

形容「學習態度佳」可以使用

囊螢映雪、懸梁刺股、鑿壁偷光、孜孜不倦

形容「感人」可以使用

感人肺腑、扣人心弦、可歌可泣、蕩氣迴腸

第52週

讀書心得：達克比辦案

寫作提示

市面上書籍的類型非常多，除了故事、小說、傳記外，還有繪本、科學讀本、百科、知識學習漫畫等，不是只有小說或文學讀物可以寫心得，只要你從這本書中有所得，有所感，學到知識，開拓眼界，都可以寫下自己的想法。

寫知識類型讀物的心得時，開頭第一段可以先寫你喜歡這本書的原因，它有什麼特色或重點；第二段介紹書中的情節或特別精采的地方；第三段可以寫出閱讀過程中學習到的新知識；最後一段寫看完書後的心得與收穫。

透過讀書心得寫作，也是擴展自己閱讀喜好和類型的好機會。

參考範文

書名：《達克比辦案10鬼屋美人魚：人類構造的演化與返祖現象》

作者：胡妙芬

繪者：柯智元

出版社：親子天下

閱讀日期：民國110年8月14日

本書大意：

「達克比」是一個能上天下海、縮小變身的熱血動物

警察，他有愛心、正義感，勇於冒險，平日駐守在河邊的

小木屋派出所，運用科學辦案的精神，調查各種動物的行為和生態，幫助遭到困難的動物們，化解了一場又一場的危機。

閱讀心得：

《達克比辦案》系列有很多本，是用漫畫講和生物科學有關的故事，主角是鴨嘴獸警察達克比，每一集他都會幫助遭遇了困難焦頭爛額的動物們，過程有趣又爆笑。看完故事後，也學到了豐富的生物知識，所以每次拿到新的一集，我都如獲至寶，馬上打開閱讀。

這一集的故事裡，鎮上出現一座鬧鬼的房子，山羊老師認為這是子虛烏有的事情，為了破除謠言，他帶同學們到鬼屋探險，結果突然射來了一道光，山羊老師額頭上多了一個眼睛。

不只山羊老師，接近鬼屋的動物們，也紛紛神祕變身，青蛙葛格變成彈塗魚；獅子、熊、兔子，甚至天上飛的鳥，統統長出怪異的魚鰭，人心惶惶之下，前去辦案的達克比也遭到池魚之殃，變身成了美人魚。達克比明察暗訪辦案，發現原來大家是照到了外星人的「超能返祖射線」，發生了「返祖現象」，變回了遠古時代祖先的模樣，找出原因之後，終於成功的幫助大家恢復原狀。

看到達克比抽絲剝繭寫下的學習單和辦案心得筆記，我才知道地球上的生命是從海洋開始，陸地上四腳動物的祖先是原始魚類，四肢手腳是從魚類的鰭演化而來的，魚類演化成兩棲類，再演化為爬蟲類、哺乳類，我學到了好多地球歷史與生物演化的知識。

每次看《達克比辦案》，不僅學到很多知識外，也激發了我的好奇心，想知道更多的動物故事，看更多的書。沒想到科學知識的書，可以這麼有趣，讓我百讀不厭，甚至也想像達克比一樣，成為一個具有科學精神和辦案能力，還很有幽默感的警察呢！

引導發想

1 你有特別喜歡看哪一種類型或哪一個主題的書嗎？

2 為什麼喜歡這種類型或這個主題的書？

3 你覺得這些書最特別、最精采的部分是什麼？

4 從這些書中學習到什麼？得到哪些收穫？

成語工具箱

1 焦頭爛額

解釋　原指救火時頭部燒焦，額頭灼傷；後形容陷入十分狼狽窘迫的困境，或忙得不知如何是好的樣子。

2 如獲至寶

解釋　形容一個人好像得到了最珍貴的寶物，非常高興。

3 子虛烏有

解釋　「子虛」和「烏有」原是一篇文章中虛構的人物。比喻虛構的、不存在的事情。

4 人心惶惶

解釋　形容人心動搖，處在驚慌、害怕的狀態裡。

5 池魚之殃

解釋　比喻無辜受到牽連而遭遇災禍或有所損失。

6 明察暗訪

解釋　公開的調查，私下詢問了解；形容多方面的打聽、了解情況。

7 抽絲剝繭（ㄔㄡ ㄙ ㄅㄛ ㄐㄧㄢˇ）

解釋 比喻由淺至深，逐漸探索出事情的真相。

形容「困境」可以使用——

焦頭爛額、狼狽不堪、進退維谷、作繭自縛、四面楚歌

形容「災禍」可以使用——

池魚之殃、無妄之災、飛來橫禍、禍從天降

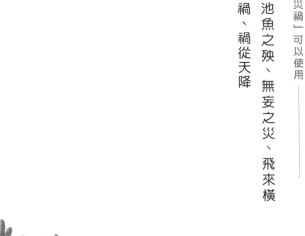

晨讀 10 分鐘系列 047

[小學生] 晨讀10分鐘

用成語，學寫作（下）

國家圖書館出版品預行編目(CIP)資料

晨讀10分鐘：用成語，學寫作（下）作文／李宗蓓作；蘇力卡繪. -- 第一版. -- 臺北市：親子天下股份有限公司，2022.09
184面；14.8x21公分
ISBN 978-626-305-262-8（平裝）

1.CST：漢語教學　2.CST：成語　3.CST：寫作法
4.CST：小學教學

523.313　111008765

作者｜李宗蓓
封面繪者｜蘇力卡

責任編輯｜李幼婷、江乃欣
美術設計｜曾偉婷、雷雅婷、陳珮甄
行銷企劃｜林思妤
校對協力｜魏秋綢

天下雜誌群創辦人｜殷允芃
董事長兼執行長｜何琦瑜
媒體暨產品事業群
總經理｜游玉雪
副總經理｜林彥傑
總編輯｜林欣靜　行銷總監｜林育菁
主編｜李幼婷　版權主任｜何晨瑋、黃微真

出版者｜親子天下股份有限公司
地址｜臺北市104建國北路一段96號4樓
電話｜（02）2509-2800　傳真｜（02）2509-2462
網址｜www.parenting.com.tw
讀者服務專線｜（02）2662-0332　週一～週五｜09:00~17:30
讀者服務傳真｜（02）2662-6048　客服信箱｜parenting@cw.com.tw
法律顧問｜台英國際商務法律事務所・羅明通律師
製版印刷｜中原造像股份有限公司
總經銷｜大和圖書有限公司　電話｜（02）8990-2588

出版日期｜2022年 9 月第一版第一次印行
　　　　　2023年 8 月第一版第四次印行
定價｜699元
書號｜BKKCI030Y
ISBN｜978-626-305-262-8